敖清江曰中間以數箇古字令字一正一反錯綜震蕩翻出許多議論波瀾其學力筆力足以淩厲千古

韓文公文抄卷之九

原道

闢佛老是退之一生命脈故此文是退之集中命根其文源遠流洪最難鑒定兼之其筆下變化詭譎足以眩人若一下打破分明似時論中一冐一承六腹一尾

博愛之謂仁行而宜之之謂義由是而之焉之謂道足乎己無待於外之謂德仁與義爲定名道與德爲虚位故道有君子小人而德有凶有吉（數句是一篇之律）老子之小仁義非毁之也（盖老子有道德經故以此立論闢之）其見者小也坐井而觀天曰天小者非天小也彼以煦煦爲仁孑孑爲義其小之也則宜其所謂道道其所道非吾所謂道也其所謂德德其所德非吾所謂德也凡吾所謂道德云者合仁與義言之也（命根）天下之公言也老子之所謂道德云者去仁與義言之也一人之私言也周道衰孔子没火于秦黄老于漢佛于晉魏梁隋之間其言道德仁義者不入于楊則入墨不入于老則入于佛入于彼必不出于此入者主之出者奴之入者附之出者汙之（冷）噫後之

前後六段皆今古相比並不覺複

唐荊川曰只爲之兩字分作五樣安頓從國策脱胎

人其欲聞仁義道德之説孰從而聽之老者曰孔子吾師之弟子也佛者曰孔子吾師之弟子也爲孔子者習聞其説樂其誕而小也亦曰吾師亦嘗云爾不惟舉之於其口而又筆之於其書噫後之人雖欲聞仁義道德之説其孰從而求之甚矣人之好怪也不求其端不訊其末惟怪之欲聞古之爲民者四今之爲民者六古之教者處其一今之教者處其三農之家一而食粟之家六工之家一而用器之家六賈之家一而資焉之家六奈之何民不窮且盜也古之時

人之害多矣有聖人者立然後教之以相生養之道爲之君爲之師驅其蟲蛇禽獸而處之中土寒然後爲之衣飢然後爲之食木處而顛土處而病也然後爲之宮室爲之工以贍其器用爲之賈以通其有無爲之醫藥以濟其夭死爲之葬埋祭祀以長其恩愛爲之禮以次其先後爲之樂以宣其湮鬱爲之政以率其怠勧爲之刑以鋤其強梗相欺也爲之符璽斗斛權衡以信之相奪也爲之城郭甲兵以守之害至而爲之備患生而爲之防今其言曰聖人不死大盜

以感慨鎖文
便漂洄生色

心譬雖遝各
無數語是筆
力天縱

不止剖斗折衡而民不爭嗚呼其亦不思而已矣如古之無聖人人之類滅久矣何也無羽毛鱗介以居寒熱也無爪牙以爭食也是故君者出令者也臣者行君之令而致之民者也民者出粟米麻絲作器皿通貨財以事其上者也君不出令則失其所以爲君臣不行君之令而致之民民不出粟米麻絲作器皿通貨財以事其上則誅今其法曰必棄而君臣去而父子禁而相生養之道以求其所謂清淨寂滅者嗚呼其亦幸而出於三代之後不見黜於禹湯文武周

公孔子也其亦不幸而不出於三代之前不見正於禹湯文武周公孔子也帝之與王其號名殊其所以爲聖一也夏葛而冬裘渴飲而饑食其事殊其所以爲智一也今其言曰曷不爲太古之無事是亦責冬之裘者曰曷不爲葛之之易也責饑之食者曰曷不爲飲之之易也傳曰古之欲明明德於天下者先治其國欲治其國者先齊其家欲齊其家者先修其身欲修其身者先正其心欲正其心者先誠其意然則古之所謂正心而誠意者將以有爲也今也欲治其

錢豐寰曰轉得健收拾前面許多說話生發後面許多意思

心而外天下國家滅其天常子焉而不父其父臣焉而不君其君民焉而不事其事孔子之作春秋也諸侯用夷禮則夷之進於中國則中國之經曰夷狄之有君不如諸夏之亡詩曰戎狄是膺荆舒是懲今也舉夷狄之法而加之先王之教之上幾何其不胥而爲夷也夫所謂先王之教者何也博愛之謂仁行而宜之之謂義由是而之焉之謂道足乎己無待於外之謂德其文詩書易春秋其法禮樂刑政其民士農工賈其位君臣父子師友賓主昆弟夫婦其服麻絲

其居宮室其食粟米果蔬魚肉其爲道易明而其爲教易行也是故以之爲己則順而祥以之爲人則愛而公以之爲心則和而平以之爲天下國家無所處而不當是故生則得其情死則盡其常郊焉而天神假廟焉而人鬼饗曰斯道也何道也曰斯吾所謂道也非向所謂老與佛之道也堯以是傳之舜舜以是傳之禹禹以是傳之湯湯以是傳之文武周公文武周公傳之孔子孔子傳之孟軻軻之死不得其傳焉荀與楊也擇焉而不精語焉而不詳由周公而上上

而爲君。故其事行。由周公而下。下而爲臣。故其說長。完了

又轉

然則如之何而可也。曰不塞不流。不止不行。人其人。火其書。廬其居。明先王之道以道之。鰥寡孤獨廢疾者有養也。其亦庶乎其可也。

退之一生闢佛老在此篇。然到底是說得老子而已。一字不入佛域。蓋退之元不知佛氏之學故佛骨表亦只以福田上立說

原性

性之旨孟氏沒而周程始能言之昌黎原不見得特按三家之言而剖析之如此然於天命之原已隔一二層矣

性也者與生俱生也情也者接於物而生也性之品有三而其所以為性者五情之品有三而其所以為情者七曰何也曰性之品有上中下三上焉者善焉而已矣中焉者可導而上下也下焉者惡焉而已矣其所以為性者五曰仁曰禮曰信曰義曰智上焉者

先自昌其說

之於五也主於一而行於四中焉者之於五也一不少有焉則少反焉其於四也混下焉者之於五也反於一而悖於四性之於情視其品情之品有上中下三其所以為情者七曰喜曰怒曰哀曰懼曰愛曰惡曰欲上焉者之於七也動而處其中中焉者之於七也有所甚有所亡然而求合其中者也下焉者之於七也亡與甚直情而行者也情之於性視其品孟子

次

闢其貳已者

之言性曰人之性善荀子之言性曰人之性惡楊子之言性曰人之性善惡混夫始善而進惡與始惡而

果混乎。故曰。三子之言性也。舉其中而遺其上下者也。得其一而失其二者也。曰然則性之上下者。其終不可移乎。曰上之性就學而愈明。下之性畏威而寡罪。是故上者可教。而下者可制也。其品則孔子謂不移也。曰今之言性者異於此何也。曰今之言者雜佛老而言也。雜佛老而言也者。奚言而不異。

進善與始也混而今也善惡皆舉其中而遺其上下者也得其一而失其二者也叔魚之生也其母視之知其必有賄死楊食我之生也叔向之母聞其號也知必滅其宗越椒之生也子文以爲大戚知若敖氏之鬼不食也人之性果善乎后稷之生也其母無災其始匍匐也則岐岐然嶷嶷然文王之在母也母不憂既生也傅不勤既學也師不煩人之性果惡乎堯之朱舜之均文王之管蔡習非不善也而卒爲姦瞽瞍之舜鯀之禹習非不惡也而卒爲聖人之性善惡

錢豐寰曰重周輕約詳廉怠忌一篇議論皆從此八字衍出此格最奇末只以一忌字原出毁者之情見毁言不之信

原毀

此篇八大比秦漢来故無此調昌黎公創之然感慨古今之間因而摹寫人情曲盡骨裏文之至者

古之君子其責己也重以周其待人也輕以約重以周故不怠輕以約故人樂爲善聞古之人有舜者其爲人也仁義人也求其所以爲舜者責於己曰彼人也予人也彼能是而我乃不能是早夜以思去其不如舜者就其如舜者聞古之人有周公者其爲人也多才與藝人也求其所以爲周公者責於己曰彼人也予人也彼能是而我乃不能是早夜以思去其不如周公者就其如周公者舜大聖人也後世無及焉周公大聖人也後世無及焉是人也乃曰不如舜不如周公吾之病也是不亦責於身者重以周乎其於人也曰彼人也能有是是足爲良人矣能善是是足爲藝人矣取其一不責其二卽其新不究其舊恐恐然惟懼其人之不得爲善之利一善易修也一藝易能也其於人也乃曰能有是是亦足矣曰能善是是

錢豐寰曰只說忌者而怠者可知

亦足矣不亦待於人者輕以約乎今之君子則不然其責人也詳其待已也廉詳故人難於爲善廉故自取也少已未有善曰我善是是亦足矣已未有能曰我能是是亦足矣外以欺於人内以欺於心未少有得而止矣不亦待其身者已廉乎其於人也曰彼雖能是其人不足稱也彼雖善是其用不足稱也舉其一不計其十究其舊不圖其新恐恐然惟懼其人之有聞也是不亦責於人者已詳乎夫是之謂不以衆人待其身而以聖人望於人吾未見其尊已也雖然

爲是者有本有原（毀之根）怠與忌之謂也怠者不能修而忌者畏人修吾嘗試之矣嘗試語於衆曰某良士某良士其應者必其人之與也不然則其所疏遠不與同其利者也不然則其畏也不若是强者必怒於言懦者必怒於色矣又嘗語於衆曰某非良士某非良士其不應者必其人之與也不然則其所疏遠不與同其利者也不然則其畏也不若是强者必說於言懦者必說於色矣是故事修而謗興德高而毀來嗚呼士之處此世而望名譽之光道德之行難已將有作

於上者。得吾說而存之。其國家可幾而理歟。

錢東湖曰只是一一正一反雙行文字與上宰相第二書略相似
李九我曰原毀篇至末纔露毀字大都詳與廉毀之枝葉怠與忌毀之本根不必說毀而毀意自見此古人文字卓不可及

原人

昌黎不明性命之原故原人篇殊無見解姑録而存之

形於上者謂之天。形於下者謂之地。命於其兩間者謂之人。形於上。日月星辰皆天也。形於下。草木山川皆地也。命於其兩間。夷狄禽獸皆人也。曰然則吾謂禽獸人可乎。曰非也。指山而問焉曰山乎。曰山可也。山有草木禽獸皆舉之矣。指山之一草而問焉曰山乎。曰山則不可。故天道亂而日月星辰不得其行。地

道亂而草木山川不得其平。人道亂而夷狄禽獸不得其情。天者日月星辰之主也。地者草木山川之主也。人者夷狄禽獸之主也。主而暴之。不得其爲主之道矣。是故聖人一視而同仁。篤近而舉遠。

原鬼

昌黎原鬼而揣摩影響之言易曰精氣爲物游魂爲變是故知鬼神之情狀

有嘯於梁從而燭之無見也斯鬼乎曰非也鬼無聲有立於堂從而視之無見也斯鬼乎曰非也鬼無形有觸吾躬從而執之無得也斯鬼乎曰非也鬼無聲與形安有氣曰鬼無聲也無形也無氣也果無鬼乎曰有形而無聲者物有之矣土石是也有聲而無形者物有之矣風霆是也有聲與形者物有之矣人獸

是也無聲與形者物有之矣鬼神是也曰然則有怪而與民物接者何也曰是有二有鬼有物漠然無形與聲者鬼之常也民有忤於天有違於民有爽於物逆於倫而感於氣於是乎鬼有形於形有憑於聲以應之而下殃禍焉皆民之爲之也其既也又反乎其常曰何謂物曰成於形與聲者土石風霆人獸是也反乎無聲無形者鬼神是也不能有形與聲不能無形無聲者物怪是也故其作而接於民也無恒故有動於民而爲禍亦有動於民而爲福亦有動於民

而莫之爲禍福適丁民之有是時也作原鬼

省試顏子不貳過論

韓公未必知顏子之學特以其省試之文也
存之

論曰登孔子之門者衆矣三千之徒四科之目孰非由聖人之道爲君子之儒者乎其於過行過言亦云鮮矣而夫子舉不貳過惟顏氏之子其何故哉請試論之夫聖人抱誠明之正性根中庸之至德苟發諸中形諸外者不惟思慮莫匪規矩不善之心無自入焉可擇之行無自加焉故惟聖人無過所謂過者非

謂發於行彰於言人皆謂之過而後爲過也生于其心則爲過矣故顏子之過此類也不貳者蓋能止之於始萌絕之於未形不貳之於言行也中庸曰自誠明謂之性自明誠謂之教自誠明者不勉而中不思而得從容中道聖人也無過者也自明誠者擇善而固執之者也不勉則不中不思則不得不貳過者也故夫子之言曰回之爲人也擇乎中庸得一善則拳拳服膺而不失之矣又曰顏氏之子其殆庶幾乎言猶未至也而孟子亦曰顏子具聖人之體而微者皆

謂不能無生于其心而亦不暴之於外考之於聖人之道差爲過耳顔子自惟其若是也於是居陋巷以致其誠飮一瓢以求其志不以富貴妨其道不以隱約易其心確乎不拔浩然自守知高堅之可尚忘鑽仰之爲勞任重道遠竟莫之致是以夫子歎其不幸短命今也則亡謂其不能與已並立於至聖之域觀敎化之大行也不然夫行發於身加於人言發乎邇見乎遠苟不慎也敗辱隨之而後思欲不貳過其於聖人之道不亦遠乎而夫子尚肯謂之其殆庶幾孟

子尚復謂之具體而微者哉則顔子之不貳過盡在是矣謹論

樓迂齋曰此篇是箴規攻擊体是反難文字之格當與范司諫書相参看

爭臣論

截然四問四答而首尾關鍵如一線

或問諫議大夫陽城於愈可以為有道之士乎哉學廣而聞多不求聞於人也行古人之道居於晉之鄙晉之鄙人薰其德而善良者幾千人大臣聞而薦之天子以為諫議大夫人皆以為華陽子不色喜居於位五年矣視其德如在野彼豈以富貴移易其心哉（已含不諫意）愈應之曰是易所謂恒其德貞而夫子凶者也惡得為有道之士乎哉在易蠱之上九云不事王侯高尚其事蹇之六二則曰王臣蹇蹇匪躬之故夫不以所居之時不一而所蹈之德不同也若蠱之上九居無（家）用之地而致匪躬之節以蹇之六二在王臣之位而高不事之心則冒進之患生曠官之刺興志不可則而尤不終無也今陽子在位（主）不為不久矣聞天下之得失不為不熟矣天子待之不為不加矣而未嘗一言及於政視政之得失若越人視秦人之肥瘠忽焉不加喜戚於其心（議論似孟子）問其官則曰諫議也問其祿則曰下大夫之秩也問其政則曰我不知也有道之士固

引三卦抑之便易勝而不甚費辭

閔午塘曰責得他最深引証他不可不諫

不言不去非祿仕陽子益無辭矣

如是乎哉且吾聞之有官守者不得其職則去有言

又生情作餘波

責者不得其言則去今陽子以爲得其言乎哉得其
言而不言與不得其言而不去無一可者也陽子將
爲祿仕乎古之人有云仕不爲貧而有時乎爲貧謂
祿仕者也宜乎辭尊而居卑辭富而居貧若抱關擊
柝者可也蓋孔子嘗爲委吏矣嘗爲乘田矣亦不敢
曠其職必曰會計當而已矣必曰牛羊遂而已矣若
陽子之秩祿不爲卑且貧章章明矣而如此豈可乎
哉或曰否非若此也夫陽子惡訕上者惡爲人臣招

其君之過而以爲名者故雖諫且議使人不得而知

有此方波濤亦塞後路

焉書曰爾有嘉謨嘉猷則入告爾后于內爾乃順之
于外曰斯謨斯猷惟我后之德夫陽子之用心亦若
此者愈應之曰若陽子之用心如此滋所謂惑者矣
入則諫其君出則使人知者大臣宰相者之事非陽
子之所宜行也夫陽子本以布衣隱於蓬蒿之下主
上嘉其行誼擢在此位官以諫爲名誠宜有以奉其
職使四方後代知朝廷有直言骨鯁之臣天子有不
僭賞從諫如流之美庶巖穴之士聞而慕之束帶結

顧迴瀾曰以聖賢無心求聞用折倒不求聞不求用句以得其道不敢獨善其身折倒守其道而不変句

誠引一聖一賢爲証甚有步驟

六有餘情波瀾

三段三且字皆進一步攻擊愈緊

髮願進於闕下而伸其辭說致吾君於堯舜熙鴻號於無窮也若書所謂則大臣宰相之事非陽子之所宜行也且陽子之心將使君人者惡聞其過乎是啓之也或曰陽子之不求聞而人聞之不求用而君用之不得已而起守其道而不變何子過之深也愈曰自古聖人賢士皆非有求於聞用也閔其時之不平人之不乂得其道不敢獨善其身而必以兼濟天下也孜孜矻矻死而後已故禹過家門不入孔席不暇暖而墨突不得黔彼二聖一賢者豈不知自安逸之爲樂哉誠畏天命而悲人窮也夫天授人以賢聖才能豈使自有餘而已誠欲以補其不足者也耳目之於身也耳司聞而目司見聽其是非視其險易然後身得安焉聖賢者時人之耳目也時人者聖賢之身也且陽子之不賢則將役於賢以奉其上矣若果賢則固畏天命而閔人窮也惡得以自暇逸乎哉或曰吾聞君子不欲加諸人而惡訐以爲直者若吾子之論直則直矣無乃傷於德而費於辭乎好盡言以招人過國武子之所以見殺於齊也吾子其亦聞乎愈

曰君子居其位則思死其官未得位則思修其辭以明其道我將以明道也非以爲直而加人也且國武子不能得善人而好盡言於亂國是以見殺傳曰惟善人能受盡言（有此句來抹繞有收拾）謂其聞而能改之也子告我曰陽子可以爲有道之士也今雖不能及已陽子將不得爲善人乎哉（就應第四問就作掉尾應起處分毫不鬆此極文家匠手處）

林希元曰辯難攻擊曲折詳盡道理平正辭復條暢明白名世作也

顧迴瀾曰此等文字似整齊却又不整齊所以爲高

省試學生代齋郎議

此文非韓之佳者特以公所應試文也錄而存之

齋郎職奉宗廟社稷之小事蓋士之賤者也執豆籩駿奔走以役于其官之長不以德進不以言揚蓋取其人力以備其事而已矣奉宗廟社稷之小事執豆籩駿奔走亦不可以不敬也於是選大夫士之子弟未爵命者以塞員填闕而教之行事其勤雖小其使之不可以不報也必書其歲歲既久矣於是乎命之

以官而授之以事其亦微矣哉學生或以通經舉或以能文稱其微者至於習法律知字書皆有以贊於教化可以使令於上者也自非天資茂異曠日經久

多一轉饒有議論

以所進業發聞於鄉閭稱道於朋友薦於州府而升之司業則不可得而齒乎國學矣然則奉宗廟社稷之小事任力之小者也贊於教化可以使令於上者德藝之大者也其亦不可移易明矣今議者謂學生之無所事謂齋郎之幸而進不本其意因謂可以代任其事而罷之蓋亦不得其理矣今夫齋郎之所事

者力也學生之所事者德與藝也以德藝舉之而以力役之是使君子而服小人之事且非國家崇儒勸學誘人爲善之道也此一說不可者也抑又有大不可者焉宗廟社稷之事雖小不可以不專敬之至也古之道也今若以學生兼其事及其歳時日月然後授其宗彝罍洗其周旋必不合度其進退必不得宜其思慮必不固其容貌必不莊此無他其事不習而其志不專故也非近於不敬者歟又有大不可者其是之謂歟若知此不可將令學生恒掌其事而隳壞

一轉又挽入

其本業則是學生之教加少學生之道益貶而齋郎之實猶在齋郎之名苟無也大凡制度之改政令之變利於其舊不什則不可爲已又況不如其舊哉考之於古則非訓稽之於今則非利尋其名而求其實則失其宜故曰議罷齋郎而以學生薦享亦不得其理矣

結得遒健峻潔

改葬服議

昌黎文本經術處

經曰。改葬緦。春秋穀梁傳亦曰。改葬之禮緦。舉下緬也。此皆謂子之於父母。其他則皆無服。何以識其必然。經次五等之服。小功之下。然後著改葬之制。更無輕重之差。以此知惟記其最親者。其他無服。則不記也。若主人當服斬衰。其餘親各服其服。則經亦言之。不當惟云緦也。傳稱舉下緬者。緬猶遠也。下謂服之最輕者也。以其遠。故其服輕也。江熙曰。禮天子諸侯

解經郎明辯

易服而葬。以爲交於神明者不可以純凶。況其緬者乎。是故改葬之禮。其服惟輕。以此而言。則亦明矣。衛司徒文子改葬其叔父。問服於子思。子思曰。禮。父母改葬緦。既葬而除之。不忍無服送至親也。非父母無服。無服則弔服而加麻。此又其著者也。文子又曰。喪服既除。然後乃葬。則其服何服。子思曰。三年之喪未葬。服不變。除何有焉。然則改葬與未葬者有異矣。古者諸侯五月而葬。大夫三月而葬。士逾月。無故未有過時而不葬者也。過時而不葬。謂之不能葬。春秋譏

孔叢子抗志篇

之若有故而未葬雖出三年子之服不變此孝子之所以著其情先王之所以必其時之道也雖有其文未有著其人者以是知其至少也改葬者爲山崩水涌毀其墓及葬而禮不備者若文王之葬王季以水齧其墓魯隱公之葬惠公以有宋師太子少葬故有闕之類是也喪事有進而無退有易以輕服無加以重服殯於堂則謂之殯瘞於野則謂之葬近代以來事與古異或游或仕在千里之外或子幼妻稚而不能自還甚者拘以陰陽畏忌遂葬於其土及其返葬

也遠者或至數十年近者亦出三年其吉服而從於事也久矣又安可取未葬不變服之例而返爲之重服歟在喪當葬猶宜易以輕服況既遠而反純凶以葬乎若果重服是所謂未可除而除不當重而更重也或曰喪與其易也寧戚雖重服不亦可乎曰不然易之與戚則易固不如戚矣雖然未若合禮之爲懿也儉之與奢則儉固愈於奢矣雖然未若合禮之爲懿也過猶不及其此類之謂乎或曰經稱改葬緦而不著其月數則似三月而後除也子思之對文子則

曰既葬而除之今宜如何曰自啓至於既葬而三月則除之未三月則服以終三月也曰妻爲夫何如曰如子無弔服而加麻則何如曰今之弔服猶古之弔服也

愚竊以緦以三月服之常也而改葬之緦不必三月也何當云改葬而除覆墓後則不必更服矣

禘祫議

韓公平生為文奇奇怪怪獨於議典禮處文詞甚醇雅此議與改葬服議並可稱名儒之文當與漢劉歆韋玄成議相參

右今月十六日敕旨宜令百僚議限五日內聞奏者將仕郎守國子監四門博士臣韓愈謹獻議曰伏以陛下追孝祖宗肅敬祀事凡在擬議不敢自專聿求厥中延訪羣下然而禮文繁漫所執各殊自建中之初迄至今歲屢經禘祫未合適從臣生遭聖明涵泳

恩澤雖賤不及議而志切效忠今輒先舉衆議之非然後申明其說一曰獻懿廟主宜永藏之夾室臣以爲不可夫祫者合也毁廟之主皆當合食於太祖獻懿二祖卽毁廟主也今雖藏於夾室至禘祫之時豈得不食於太廟乎名曰合祭而二祖不得祭焉不可謂之合矣二曰獻懿廟主宜毁之瘞之臣又以爲不可謹按禮記天子立七廟一壇一墠其毁廟之主皆藏於祧廟雖百代不毁祫則陳於太廟而饗焉自魏晉已降始有毁瘞之議事非經據竟不可施行今國

家德厚流光創立九廟以周制推之獻懿二祖猶在
壇墠之位況於毀瘞而不禘祫乎三曰獻懿廟主宜
各遷於其陵所臣又以爲不可二祖之祭於京師列
於太廟也二百年矣今一朝遷之豈惟人聽疑惑抑
恐二祖之靈眷顧依遲不卽饗於下國也四曰獻懿
廟主宜附於興聖廟而不禘祫臣又以爲不可傳曰
祭如在景皇帝雖太祖其於屬乃獻懿之子孫也今
欲正其子東向之位廢其父之大祭固不可爲典矣
五曰獻懿二祖宜別立廟於京師臣又以爲不可夫

禮有所降情有所殺是故去廟爲祧去祧爲壇去壇
爲墠去墠爲鬼漸而之遠其祭益稀昔者魯立煬宮
（公羊傳定公）
春秋非之以爲不當取已毀之廟旣藏之主而復築
（九年九明書立煬宮非礼也）
宮以祭今之所議與此正同又雖違禮立廟至於禘
祫也合食則禘無其所廢祭則於義不通此五說者
皆所不可故臣博采前聞求其折中以爲殷祖玄王
（按史記三代）
周祖后稷太祖之上皆自爲帝又其代數已遠不復
（世表契稷皆出自黃帝）
祭之故太祖得正東向之位子孫從昭穆之列禮所
稱者盖以紀一時之宜非傳於後代之法也傳曰子

雖齊聖不先父食盖言子爲父屈也景皇帝雖太祖也其於獻懿則子孫也當禘祫之時獻祖宜居東向之位景皇帝宜從昭穆之列祖以孫尊孫以祖屈求之神道豈遠人情又常祭甚衆合祭甚寡則是太祖所屈之祭甚少所伸之祭至多比於伸孫之尊廢祖之祭不亦順乎事異殷周禮從而變非所失禮也臣伏以制禮作樂者天子之職也陛下以臣議有可采粗合天心斷而行之是則爲禮如以爲猶或可疑乞召臣對面陳得失庶有發明謹議

韓文公抄卷之十

諱辯

古今以來如此文不可多得

愈與李賀書勸賀舉進士有名與賀爭名者毁之曰賀父名晉肅賀不舉進士爲是勸之舉者爲非聽者不察也和而唱之同然一辭皇甫湜曰若不明白子與賀且得罪愈曰然律曰二名不偏諱釋之者曰謂若言徵不稱在言在不稱徵是也律曰不諱嫌名釋之者曰謂若禹與雨丘與蓲之類是也今

賀父名晉肅賀舉進士爲犯二名律乎爲犯嫌名律乎父名晉肅子不得舉進士若父名仁子不得爲人乎夫諱始於何時作法制以教天下者非周公孔子歟周公作詩不諱孔子不偏諱二名春秋不譏不諱嫌名康王釗之孫實爲昭王曾參之父名晳曾子不諱昔周之時有騏期漢之時有杜度此其子宜如何諱將諱其嫌遂諱其姓乎將不諱其嫌者乎漢諱武帝名徹爲通不聞又諱車轍之轍爲某字也諱呂后名雉爲野雞不聞又諱治天下之治爲某字也今上

自周公作詩至此凡十事變作八樣句法極錯落辯証

章及詔不聞諱滸勢秉機也。惟宦官宮妾乃不敢言諭及機以爲觸犯。士君子言語行事宜何所法守也。（合後意）今考之於經質之於律稽之以國家之典賀舉進士爲可耶爲不可耶。凡事父母得如曾參可以無譏矣。（轉收拾前意極辯）作人得如周公孔子亦可以止矣。（二轉）今世之士不務行曾參周公孔子之行而諱親之名則務勝於曾參周公孔子亦見其惑也。（三轉）夫周公孔子曾參卒不可勝。勝周公孔子曾參乃比於宦官宮妾則是宦官宮妾之孝於其親賢於周公孔子曾參者耶。

此文反覆奇險令人眩掉實自顯快前分律經典三段後尾抱前辯難只因三段中便有游兵點綴便足迷人

謝疊山曰妙在不直說破盡是設疑徉為兩可之辭待智者自擇

進學解

此韓公正正之旗堂堂之陣也其主意專在宰相蓋大才小用不能無憾而以怨懟無聊之辭托之人自咎自責之辭托之己最得體

國子先生晨入太學招諸生立館下誨之曰業精于勤荒于嬉行成于思毀于隨方今聖賢相逢治具畢張拔去兇邪登崇畯良占小善者率以錄名一藝者無不庸爬羅剔抉刮垢磨光盖有幸而獲選孰云多而不揚諸生業患不能精無患有司之不明行患不

能成無患有司之不公言未既有笑於列者曰先生欺予哉弟子事先生于兹有年矣先生口不絕吟于六藝之文手不停披于百家之編記事者必提其要纂言者必鉤其玄貪多務得細大不捐焚膏油以繼晷恒兀兀以窮年先生之業可謂勤矣觝排異端攘斥佛老補苴罅漏張皇幽眇尋墜緒之茫茫獨旁搜而遠紹障百川而東之廻狂瀾於既倒先生之於儒可謂有勞矣沈浸醲郁含英咀華作爲文章其書滿家上窺姚姒渾渾無涯周誥殷盤佶屈聱牙春秋謹

鄭玄崖曰出入莊騷追步班馬綽其句字尤得左氏之髓

一生大肓故挈言之工而雄

陡然起

告諭体

含蓄

何孟春曰以匠氏醫師引起宰相有規諷時相意

嚴左氏浮誇易奇而法詩正而葩下逮莊騷太史所
錄子雲相如同工異曲先生之於文可謂閎其中而
肆其外矣少始知學勇於敢爲長通於方左右具宜
先生之於爲人可謂成矣然而公不見信於人私不
見助於友跋前躓後動輒得咎暫爲御史遂竄南夷
三年博士冗不見治命與仇謀取敗幾時冬暖而兒
號寒年豐而妻啼饑頭童齒豁竟死何裨不知慮此
而反教人爲先生曰吁子來前夫大木爲杗細木爲
詩之興体
桷欂櫨侏儒椳闑居楔各得其宜施以成室者匠氏

之工也玉札丹砂赤箭青芝牛溲馬勃敗鼓之皮俱
奇詭
收並蓄待用無遺者醫師之良也登明選公雜進巧
拙紆餘爲妍卓犖爲傑較短量長惟器是適者宰相
之方也昔者孟軻好辯孔道以明轍環天下卒老于
行荀卿守正大論是弘逃讒于楚廢死蘭陵是二儒
者吐辭爲經舉足爲法絶類離倫優入聖域其遇於
今語
世何如也今先生學雖勤而不繇其統言雖多而不
要其中文雖奇而不濟於用行雖修而不顯於衆猶
且月費俸錢歲靡廩粟子不知耕婦不知織乘馬從

徒安坐而食踵常途之促促窺陳編以盜竊然而聖主不加誅宰臣不見斥茲非其幸歟動而得謗名亦隨之投閑置散乃分之宜若夫商財賄之有亡計班資之崇痺忘巳量之所稱指前人之瑕疵是所謂詰匠氏之不以杙爲楹而訾醫師以昌陽引年欲進其豨苓也

（占地位）（棹尾抱前）

孫氏樵曰韓吏部進學解授地倚天句句欲活讀之如赤手捕長蛇不施勒騎生馬急不得暇莫不捉搦

樓迂齋曰設為師弟詰難之辭以伸己意機軸自揚雄解嘲來

錢豐家曰由祥說歸不祥由不祥說歸祥又由祥說歸不祥圓轉流動筆力勝人

轉上何等變化波濤

獲麟解

文凡四轉而結思圓轉如游龍如轆轤愈變化而愈勁厲此奇兵也

麟之為靈昭昭也。詠於詩。書於春秋。雜出於傳記百家之書。雖婦人小子。皆知其為祥也。（祥）然麟之為物。不畜於家。不恒有於天下。其為形也不類。非若馬牛犬豕豺狼麋鹿然。然則雖有麟。不可知其為麟也。（不祥）角者吾知其為牛。鬣者吾知其為馬。犬豕豺狼麋鹿。吾知其為犬豕豺狼麋鹿。惟麟也不可知。不可知。則其謂之不祥也亦宜。雖然麟之出。必有聖人在乎位。麟為聖人出也。（祥）聖人者必知麟。麟之果不為不祥也。（從不可知中轉）又曰。麟之所以為麟者。以德不以形。若麟之出不待聖人。則謂之不祥也亦宜。

唐荊川曰以祥不祥二字作眼目

擇言解

其思深其調逸

火洩於密而爲用且大能不違於道可燔可炙可鎔可甄以利乎生物及其放而不禁反爲災矣水發於深而爲用且遠能不違於道可浮可載可飲可灌以濟乎生物及其導而不防反爲患矣言起於微而爲用且博能不違於道可化可令可告可訓以推於生物及其縱而不愼反爲禍矣火既我災有水而可伏其焰能使不陷於灰燼矣水既我患有土而可遏其流能使不仆於波濤矣言既我禍即無以掩其辭能不罹於過者亦鮮矣所以知理者又焉得不擇其言歟其爲愼而甚於水火

師說

昌黎當時抗師道以號召後輩故爲此文以倡赤幟云

古之學者必有師師者所以傳道授業解惑也（大綱領一句喝起）人非生而知之者孰能無惑惑而不從師其爲惑也終不解矣生乎吾前其聞道也固先乎吾吾從而師之生乎吾後其聞道也亦先乎吾吾從而師之吾師道也夫庸知其年之先後生於吾乎是故無貴無賤無長無少道之所存師之所存也嗟乎師道之不傳也久

矣欲人之無惑也難矣古之聖人其出人也遠矣猶且從師而問焉今之衆人其下聖人也亦遠矣而耻學於師是故聖益聖愚益愚聖人之所以爲聖愚人之所以爲愚其皆出於此乎愛其子擇師而教之於其身也則耻師焉惑矣彼童子之師授之書而習其句讀者非吾所謂傳其道解其惑者也句讀之不知惑之不解或師焉或不焉小學而大遺吾未見其明也巫醫樂師百工之人不耻相師士大夫之族曰師曰弟子云者則羣聚而笑之問之則曰彼與彼年相

若也道相似也位卑則足羞官盛則近諛嗚呼師道之不復可知矣巫醫樂師百工之人君子不齒今其智乃反不能及其可怪也歟聖人無常師孔子師郯子萇弘師襄老聃郯子之徒其賢不及孔子孔子三人行則必有我師是故弟子不必不如師師不必賢於弟子聞道有先後術業有專攻如是而已李氏子蟠年十七好古文六藝經傳皆通習之不拘於時學於余余嘉其能行古道作師說以貽之

雜說

雜說四首並變幻奇詭不可端倪

咫尺間有千仞之勢

龍噓氣成雲雲固弗靈於龍也然龍乘是氣茫洋窮乎玄間薄日月伏光景感震電神變化水下土汨陵谷雲亦靈怪矣哉雲龍之所能使爲靈也若龍之靈則非雲之所能使爲靈也然龍弗得雲無以神其靈矣失其所憑依信不可歟異哉其所憑依乃其所自爲也易曰雲從龍既曰龍雲從之矣

轉

幻而宕

凡六節轉換

善醫者不視人之瘠肥察其脉之病否而已矣善計

天下者不視天下之安危察其紀綱之理亂而已矣天下者人也安危者肥瘠也紀綱者脉也脉不病雖瘠不害脉病而肥者死矣通於此說者其知所以爲天下乎夏殷周之衰也諸侯作而戰伐日行矣傳數十王而天下不傾者紀綱存焉耳秦之王天下也無分勢於諸侯聚兵而焚之傳二世而天下傾者紀綱亡焉耳是故四支雖無故不足恃也脉而已矣四海雖無事不足矜也紀綱而已矣憂其所可恃懼其所可矜善醫善計者謂之天扶與之易曰視履考祥善

計者爲之以紀綱爲治天下之脉名言也

談生之爲崔山君傳稱鶴言者豈不怪哉然吾觀於人其能盡吾性而不類於禽獸異物者希矣將憤世嫉邪長往而不來者之所爲乎感憤昔之聖者其首有若牛者其形有若蛇者其喙有若鳥者其貌有若蒙倛者彼皆貌似而心不同焉可謂之非人邪即有平脇曼膚顏如渥丹美而狠者貌則人其心則禽獸又惡可謂之人邪然則觀貌之是非不若論其心與其行事之可否爲不失也怪神之事孔子之徒不言余將

特取其憤世嫉邪而作之故題之云爾

感慨悲婉

世有伯樂然後有千里馬千里馬常有而伯樂不常有故雖有名馬秖辱於奴隷人之手駢死於槽櫪之間不以千里稱也馬之千里者一食或盡粟一石食馬者不知其能千里而食也是馬也雖有千里之能食不飽力不足才美不外見且欲與常馬等不可得安求其能千里也策之不以其道食之不能盡其材鳴之而不能通其意執策而臨之曰天下無馬嗚呼其眞無馬邪其眞不知馬也

顧廻瀾曰是一篇借喻格結語咏嘆含蓄

子產不毀鄉校頌

子產之識遠故不毀鄉校退之之思深故為
頌

我思古人伊鄭之僑以禮相國人未安其教遊于鄉之校衆口囂囂或謂子產毀鄉校則止曰何患焉可以成美夫豈多言亦各其志善也吾行不善吾避維善維否我於此視川不可防言不可弭下塞上聾邦其傾矣既鄉校不毀而鄭國以理在周之興養老乞言及其已衰謗者使監成敗之迹昭哉可觀維是子

產執政之式維其不遇化止一國誠率是道相天下君交暢旁達施及無垠於虖四海所以不理有君無臣誰其嗣之我思古人

錢豐寰曰踈利爽快却近蘇文

伯夷頌

昔人稱太史公傳酷吏刺客等文各肖其人今以此文頌伯夷亦爾然不如史遷本傳

士之特立獨行適於義而已不顧人之是非皆豪傑之士信道篤而自知明者也一家非之力行而不惑者寡矣至於一國一州非之力行而不惑者盖天下一人而已矣若至於舉世非之力行而不惑者則千百年乃一人而已耳若伯夷者窮天地亘萬世而不顧者也昭乎日月不足為明崒乎泰山不足為高巍乎天地不足為容也當殷之亡周之興微子賢也抱祭器而去之武王周公聖也從天下之賢士與天下之諸侯而往攻之未嘗聞有非之者也彼伯夷叔齊者乃獨以為不可殷既滅矣天下宗周彼二子乃獨耻食其粟餓死而不顧繇是而言夫豈有求而為哉信道篤而自知明也今世之所謂士者一凡人譽之則自以為有餘一凡人沮之則自以為不足（倒跌）彼獨非聖人而自是如此夫聖人乃萬世之標準也余故曰若伯夷者特立獨行窮天地亘萬世而不顧者也雖

然微二子亂臣賊子接跡於後世矣

唐荆川曰昌黎此文分明自孟子中脫出来人都不覺

錢豈寰曰雷萬春直當改作南霽雲則首尾相應

洗發痛快入骨髓全是子長神解處

冷語感慨

張中丞傳後敘

通篇句字氣皆太史公髓非昌黎本色今書盡家亦有効人而得其解者此正見其無不可處

元和二年四月十三日夜愈與吳郡張籍閱家中舊書得李翰所為張巡傳翰以文章自名為此傳頗詳密然尚恨有闕者不為許遠立傳又不載雷萬春（疑當作南霽雲）事首尾遠雖材若不及巡者（以下皆補翰所不及而發揮）開門納巡位本在巡上授之柄而處其下無所疑忌竟與巡俱守死成功名（先了他事却辯其誣）城

陷而虜與巡死先後異耳兩家子弟材智下不能通知二父志以為巡死而遠就虜疑畏死而辭服於賊遠誠畏死（一段一解）何苦守尺寸之地食其所愛之肉以與賊抗而不降乎當其圍守時外無蚍蜉蟻子之援所欲忠者國與主耳而賊語以國亡主滅遠見救援不至而賊來益眾必以其言為信外無待而猶死守人相食且盡雖愚人亦能數日而知死處矣遠之不畏死亦明矣烏有城壞其徒俱死獨蒙媿恥求活雖至愚者不忍為嗚呼而謂遠之賢而為之邪說者又謂遠

以譬辯之了不及本事

以上專為世之謗遠者訟而直之以下纔并入張巡至論本末

兩人之功至今不泯以數言為之辯案也

與巡分城而守城之陷自遠所分始以此訽遠此又與兒童之見無異（段解）人之將死其藏腑必有先受其病者引繩而絕之其絕必有處觀者見其然從而尤之其亦不達於理矣小人之好議論不樂成人之美如是哉如巡遠之所成就如此卓卓猶不得免其他則又何說（忽佳）當二公之初守也寧能知人之卒不救棄城而逆遁苟此不能守雖避之他處何益及其無救而且窮也將其創殘餓羸之餘雖欲去必不達二公之賢其講之精矣守一城捍天下以千百就盡之卒戰

百萬日滋之師蔽遮江淮沮遏其勢天下之不亡其誰之功也當是時棄城而圖存者不可一二數（憤激明辯以濟眾口）擅強兵坐而觀者相環也不追議此而責二公以死守亦見其自比於逆亂設淫辭而助之攻也愈嘗從事於汴徐二府屢道於兩府間親祭於其所謂雙廟者其老人往往說巡遠時事云南霽雲之乞救於賀蘭也賀蘭嫉巡遠之聲威功績出已上不肯出師救愛霽雲之勇且壯不聽其語強留之具食與樂延霽雲坐霽雲慷慨語曰雲來時睢陽之人不食月餘日矣雲

生色如畫

史記文字

錢豐寰曰了卻許南兩公

因傍及張公事以補李翰所作張巡傳之不足

雖欲獨食義不忍雖食且不下咽因拔所佩刀斷一指血淋漓以示賀蘭一座大驚皆感激爲雲泣下雲知賀蘭終無爲雲出師意卽馳去將出城抽矢射佛寺浮圖矢著其上甎半箭曰吾歸破賊必滅賀蘭此矢所以志也愈貞元中過泗州船上人猶指以相語城陷賊以刃脅降巡巡不屈卽牽去將斬之又降霽雲雲未應巡呼雲曰南八男兒死耳不可爲不義屈雲笑曰欲將以有爲也公有言雲敢不死卽不屈張籍曰有于嵩者少依於巡及巡起事嵩常在圍中籍

描寫

又卽張籍言一段

大曆中於和州烏江縣見嵩嵩時年六十餘矣以巡初嘗得臨渙縣尉好學無所不讀籍時尚小粗問巡遠事不能細也云巡長七尺餘鬚髯若神嘗見嵩讀漢書謂嵩曰何爲久讀此嵩曰未熟也巡曰吾於書讀不過三徧終身不忘也因誦嵩所讀書盡卷不錯一字嵩驚以爲巡偶熟此卷因亂抽他帙以試無不盡然嵩又取架上諸書試以問巡巡應口誦無疑嵩從巡久亦不見巡常讀書也爲文章操紙筆立書未嘗起草初守睢陽時士卒僅萬人城中居人戶亦且

生色

錢豈褱曰再敍遠作結案

數萬巡因一見問姓名其後無不識者巡怒鬚髯輒張及城陷賊縛巡等數十人坐且將戮巡起旋其衆見巡起或起或泣巡曰汝勿怖死命也衆泣不能仰視巡就戮時顏色不亂陽陽如平常遠寬厚長者貌如其心與巡同年生月日後於巡呼巡爲兄死時年四十九嵩貞元初死於亳宋間或傳嵩有田在亳宋間武人奪而有之嵩將詣州訟理爲所殺嵩無子張籍云

結案

了于嵩案

林次崖曰此篇許遠之情事既白張巡之平生爲人又備南霽雲之忠憤又不遺可謂發潜德之幽光植綱常於不墜矣

讀荀

昌黎病荀不醇而末引孔子一轉却安頓自家方好

始吾讀孟軻書然後知孔子之道尊聖人之道易行王易王霸易霸也以為孔子之徒沒尊聖人者孟氏而已晚得揚雄書益尊信孟氏因雄書而孟氏益尊則雄者亦聖人之徒歟聖人之道不傳於世周之衰好事者各以其說干時君紛紛藉藉相亂六經與百家之說錯雜然老師大儒猶在火于秦黃老于漢其

借景生情

縱

存而醇者孟軻氏而止耳揚雄氏而止耳及得荀氏書於是又知有荀氏者也考其辭時若不粹要其歸與孔子異者鮮矣抑猶在軻雄之間乎孔子刪詩書筆削春秋合於道者著之離於道者黜去之故詩書春秋無疵余欲削荀氏之不合者附於聖人之籍亦孔子之志歟孟氏醇乎醇者也荀與揚大醇而小疵

總收轉蓬脚

評得恰當

讀儀禮

余嘗苦儀禮難讀又其行于今者葢寡沿襲不同復之無由考于今誠無所用之然文王周公之法制粗

在於是孔子曰吾從周謂其文章之盛也古書之存者希矣百氏雜家尚有可取況聖人之制度邪於是掇其大要奇辭奧旨著于篇學者可觀焉惜乎吾不及其時進退揖讓于其間嗚呼盛哉

讀墨子

儒譏墨以上同兼愛上賢明鬼而孔子畏大人居是邦不非其大夫春秋譏專臣不上同哉孔子泛愛親仁以博施濟衆爲聖不兼愛哉孔子賢賢以四科進褒弟子疾殁世而名不稱不上賢哉孔子祭如在譏

祭如不祭者曰我祭則受福不明鬼哉儒墨同是堯舜同非桀紂同修身正心以治天下國家奚不相悅如是哉余以爲辯生於末學各務售其師之說非二師之道本然也孔子必用墨子墨子必用孔子不相用不足爲孔墨

混儒墨而無辨此昌黎汩其文詞而忘其本也

自寫悲憤

送窮文

門戶自楊雄解嘲来與進學解意大畧相似

元和六年正月乙丑晦主人使奴星結柳作車縛草為船載糗輿粻牛繫軛下引帆上檣三揖窮鬼而告之曰聞子行有日矣鄙人不敢問所塗竊具船與車備載糗粻日吉時良利行四方子飯一盂子啜一觴攜朋挈儔去故就新駕塵彍風與電爭先子無底滯之尤我有資送之恩子等有意於行乎屏息潛聽如聞音聲若嘯若啼砉欻嘎嚶毛髮盡豎竦肩束頸疑

奇

有而無久乃可明若有言者曰吾與子居四十年餘子在孩提吾不子愚子學子耕求官與名惟子是從不變于初門神戶靈我叱我呵包羞詭隨志不在他子遷南荒熱爍濕蒸我非其鄉百鬼欺陵太學四年朝虀暮鹽惟我保汝人皆汝嫌自初及終未始背汝心無異謀口絕行語於何聽聞云我當去是必夫子信讒有間於予也我鬼非人安用車船鼻齅臭香糗粻可捐單獨一身誰為朋儔子苟備知可數已不子能盡言可謂聖智情狀既露敢不廻避主人應之曰

見得始終固守

應

一篇情緒在此句上生出

將許多好處作不好說其實見得自家所守者堅困此而窮

子以吾爲眞不知也耶子之朋儔非六非四在十去五滿七除二各有主張私立名字捩手覆羮轉喉觸諱凡所以使吾面目可憎語言無味者皆子之志也其名曰智窮矯矯亢亢惡圓喜方羞爲姦欺不忍害傷其次名曰學窮傲數與名摘抉杳微高挹羣言執神之機又其次曰文窮不專一能怪怪奇奇不可時施祗以自嬉又其次曰命窮影與形殊面醜心妍利居衆後責在人先又其次曰交窮磨肌戞骨吐出心肝企足以待寘我讐寃凡此五鬼爲吾五患饑我寒

我興訛造訕能使我迷人莫能間朝悔其行暮已復然蠅營狗苟驅去復還言未畢五鬼相與張眼吐舌跳踉偃仆抵掌頓脚失笑相顧徐謂主人曰子知我名凡我所爲驅我令去小黠大癡人生一世其久幾何吾立子名百世不磨小人君子其心不同惟乖於時乃與天通攜持琬琰易一羊皮飫於肥甘慕彼糠糜天下知子誰過於予雖遭斥逐不忍子踈謂予不信請質詩書主人於是垂頭喪氣上手稱謝燒車與船延之上座

此一段是韓勝柳處

樓迂齋曰前面許多鋪陳布置結果收拾在後面省到後面方知前面盡是戲言机軸之妙熟玩方見

錢豊褱曰兩述人言而自為解自疑而再自解又述人言而又自解情款反覆詞旨溫潤

釋言

篇中憂讒始則述傳與者之言再則托己之自為解三則不能無憂四則又自為解五則入李翰林之並相亦復自為解

元和元年六月十日愈自江陵法曹詔拜國子博士始進見今相國鄭公公賜之坐且曰吾見子某詩吾時在翰林職親而地禁不敢相聞今爲我寫子詩書爲一通以來愈再拜謝退錄詩書若干篇擇日時以獻於後之數月有來謂愈者曰子獻相國詩書乎曰

針線

入題

然曰有爲讒於相國之座者曰韓愈曰相國徵余文余不敢匿相國豈知我哉子其慎之愈應之曰愈爲御史得罪德宗朝同遷于南者凡三人獨愈爲先收用相國之賜大矣百官之進見相國者或立語以退而愈辱賜坐語相國之禮過矣四海九州之人自百官以下欲以其業徹相國左右者多矣皆憚而莫之敢獨愈辱先索相國之知至矣賜之大禮之過知之至是三者於敵以下受之宜以何報況在天子之宰乎人莫不自知凡適於用之謂才堪其事之謂力愈

煞

張署李方叔昌

於二者雖日勉焉而不迨束帶執笏立士大夫之行不見斥以不肖幸矣其何敢敖於言乎夫敖雖凶德必有恃而敢行愈之族親鮮少無扳聯之勢於今不善交人無相先相死之友於朝無宿資蓄貨以釣聲勢弱於才而腐於力不能奔走乘機抵巇以要權利夫何恃而敖若夫狂惑喪心之人蹈河而入火妄言而駡詈者則有之矣而愈人知其無是疾也雖有讒者百人相國將不信之矣愈何懼而慎歟既累月又有來謂愈曰有讒子於翰林舍人李公與裴公者子

其慎歟愈曰二公者吾君朝夕訪焉以爲政於天下而階太平之治居則與天子爲心膂出則與天子爲股肱四海九州之人自百官以下其孰不願忠而望賜愈也不狂不愚不蹈河而入火病風而妄駡不當有如讒者之說也雖有讒者百人二公將不信之矣愈何懼而慎既以語應客夜歸私自尤曰咄市有虎而曾參殺人讒者之效也詩曰取彼讒人投畀豺虎豺虎不食投畀有北有北不受投畀有昊傷於讒疾而甚之之辭也又曰亂之初生僭始既涵亂之又生

諸引語而釋之本劉向災異封事來

錢豊寰曰取之淺近而意自深永

君子信讒始疑而終信之之謂也孔子曰遠佞人夫佞人不能遠則有時而信之矣今我恃直而不戒禍其至哉（轉）徐又自解之曰市有虎聽者庸也曾參殺人以愛惑聰也巷伯之傷亂世是逢也今三賢方與天子謀所以施政於天下而階太平之治聽聰而視明公正而敦大夫聰明則聽視不惑公正則不邇讒邪敦大則有以容而思彼讒人者孰敢進而為讒哉雖進而為之亦莫之聽矣我何懼而慎（轉）既累月上命李公相客謂愈曰子前被言於一相今李公又相子其

危哉愈曰前之謗我於宰相者翰林不知也後之謗我於翰林者宰相不知也今二公合處而會言若及愈必曰韓愈亦人耳彼敖宰相又敖翰林其將何求必不然吾乃今知免矣既而讒言果不行

一句結

貓相乳

以事之小者而議論關係大躰

司徒北平王家貓有生子同日者其一死焉有二子飲於死母母且死其鳴咿咿其一方乳其子若聞之起而若聽之走而若救之銜其一置于其棲又往如之反而乳之若其子然噫亦異之大者也夫貓人畜也非性於仁義者也其感於所畜者乎哉北平王牧人以康伐罪以平理陰陽以得其宜國事既畢家道乃行父父子子兄兄弟弟雍雍如也愉愉如也視外猶視中一家猶一人夫如是其所感應召致其亦可知矣易曰信及豚魚非此類也夫愈時獲幸於北平王客有問王之德者愈以是對客曰夫祿位貴富人之所大欲也得之之難未若持之之難也得之於功或失於德得之於身或失於子孫今夫功德如是祥祉如是其善持之也可知已既已因敘之爲貓相乳說云

守戒

通篇極論正意只收一句作結是一躰格自過秦論來其文平直通顯反近蘇文亦非公本色

詩曰大邦維翰書曰以蕃王室諸侯之於天子不惟守土地奉職貢而已固將有以翰蕃之也今人有宅於山者知猛獸之爲害則必高其柴楥而外施窞穽以待之宅於都者知穿窬之爲盗則必峻其垣牆而内固扃鐍以防之此野人鄙夫之所及非有過人之智而後能也今之通都大邑介然於屈强之間而不知爲之備噫亦惑矣野人鄙夫能之而王公大人反不能焉豈材力爲有不足歟蓋以謂不足爲而不爲耳天下之禍莫大於不足爲材力不足者次之不足爲者敵至而不知材力不足者先事而思則其於禍也有間矣彼之屈强者帶甲荷戈不知其多少其縣地則千里而與我壤地相錯無有丘陵江河洞庭孟門之關其間又自知其不得與天下齒朝夕舉踵引頸冀天下之有事以乘吾之便此其暴於猛獸穿窬

舍本言

掉上

曲

盡

也甚矣嗚呼胡知而不爲之備乎哉賁育之不戒童子之不抗魯雞之不期蜀雞之不支今夫鹿之於豹非不巍然大矣然而卒爲之禽者爪牙之材不同猛怯之資殊也曰然則如之何而備之曰在得人

○本○旨

錢豐寰曰沉着痛快萬世正論

總極意於主而議論奇絕痛快

對禹問

通篇以客形主相爲發明

或問曰堯舜傳諸賢禹傳諸子信乎曰然然則禹之賢不及於堯與舜也歟曰不然堯舜之傳賢也欲天下之得其所也禹之傳子也憂後世爭之之亂也堯舜之利民也大禹之慮民也深曰然則堯舜何以不憂後世曰舜如堯堯傳之禹如舜舜傳之得其人而傳之堯舜也無其人慮其患而不傳者禹也舜不能以傳禹堯爲不知人禹不能以傳子舜爲不知人堯

以傳舜爲憂後世禹以傳子爲慮後世曰禹之慮也則深矣傳之子而當不淑則奈何曰時益以難理傳之人則爭未前定也傳之子則不爭前定也前定雖不當賢猶可以守法不前定而不遇賢則爭且亂天之生大聖也不數其生大惡也亦不數傳諸人得大聖然後人莫敢爭傳諸子得大惡然後人受其亂禹之後四百年然後得桀亦四百年然後得湯與伊尹湯與伊尹不可待而傳也與其傳不得聖人而爭且亂孰若傳諸子雖不得賢猶可守法曰孟子之所謂

借客作掉尾。

天與賢則與賢天與子則與子者。何也。曰孟子之心以爲聖人不苟私於其子以害天下。求其說而不得。從而爲之辭。